mon premier livre de Physique

texte de Michel Toulmonde

illustrations de Andrée Bienfait

ÉTUDES VIVANTES

Archimède
3e siècle
avant notre ère

Galilée
1564-1642

Descartes
1596-1650

Newton
1643-1727

Tous les jours, dans la vie courante, tu peux observer certains faits :

Quand tu tiens un ballon dans tes mains et que tu le lâches, il tombe sur le sol.

Il t'arrive de déposer un glaçon dans un verre pour rafraîchir ta boisson; et peu à peu le glaçon disparaît.

Pendant un orage, tu vois des éclairs et, quelques secondes plus tard, le grondement du tonnerre te fait peut-être sursauter. Il se forme parfois un arc-en-ciel.

Quand tu es devant une cheminée où crépite un feu de bois, tu te chauffes, c'est agréable.

Avec une pile électrique et une ampoule correctement disposée, tu peux t'éclairer la nuit.

Tu joues peut-être aussi de la musique !

Tous ces phénomènes familiers mettent tes sens en éveil : le toucher, la vue, l'ouïe, ...

Pourquoi ces phénomènes se produisent-ils, et surtout, comment se produisent-ils ?

Les réponses à ces questions constituent le but de la physique. C'est en effet une science étudiant les phénomènes naturels qui modifient la matière. Il s'agit ici de la matière non vivante, laissant le domaine du vivant à la biologie : plantes, animaux, Homme.

Nous allons voir comment les hommes ont cherché, depuis les temps les plus anciens, à répondre à ces questions, en observant des phénomènes dans la nature ou lors d'expériences que tu pourras réaliser à ton tour.

Ampère
1775-1836

Volta
1745-1827

Joule
1818-1889

Einstein
1879-1955

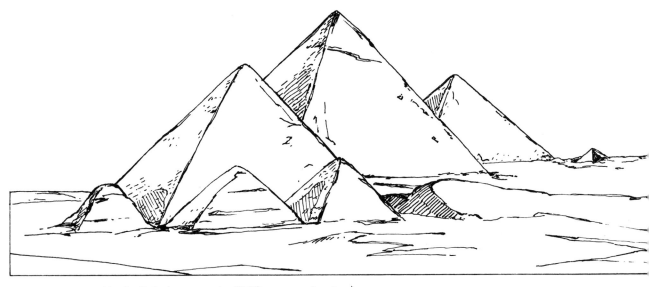

La pyramide de Guizeh, construite 2 500 ans avant notre ère

Expériences et mesures

Les plus anciens témoignages d'observations de phénomènes naturels remontent aux civilisations de l'Égypte antique : afin de mieux prévoir les crues fertilisantes du Nil pour irriguer les terres cultivables, les Égyptiens, 4 000 ans avant notre ère, établissent un calendrier à partir des observations des mouvements du Soleil et de la Lune ; ils découvrent l'année et les saisons.

Avec l'arpentage de ces terres naît la géométrie. Pour tracer des canaux d'irrigation, ils créent des *étalons* de longueur : le stade, la coudée, le pied, le pouce. Lors de la construction des pyramides, les architectes inventent des outils de contrôle : le fil à plomb, l'équerre.

Les phénomènes naturels que ces hommes observent ont, pour eux, des causes religieuses ou divines.

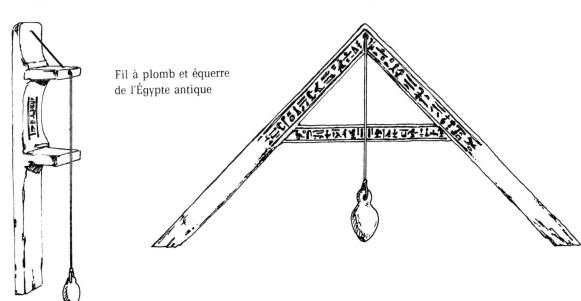

Fil à plomb et équerre
de l'Égypte antique

Galilée présente sa lunette astronomique (1609)

A la fin du 16e siècle, l'Italien Galileo Galilei, dit Galilée, ne se contente plus d'observer les phénomènes, il tente de les reproduire en créant et réalisant des *expériences,* afin d'essayer de mieux les comprendre. La méthode expérimentale naît grâce à lui, et la physique devient une science. Pour Galilée, seule l'expérience apporte des preuves, alors qu'avant lui, on croyait que la pensée de l'homme (le « bon sens ») pouvait suffire à tout expliquer.

Mais les unités de mesure ne sont hélas pas partout les mêmes, ce qui ne facilite pas les échanges commerciaux, pour les poids, les volumes, les longueurs, ... En 1799, la France adopte le système métrique en définissant un étalon de longueur : le *mètre.* Ce système se généralisera peu à peu au monde entier et deviendra de nos jours le *Système international d'unités.*

Mesurer une grandeur, c'est *comparer* cette grandeur à l'unité de mesure.

Le Système international d'unités (SI)

Nom	Unité	Symbole	Préfixes	
longueur	mètre	m	méga-	x 1 000 000
masse	kilogramme	kg	kilo-	x 1 000
temps	seconde	s	hecto-	x 100
intensité du			déca-	x 10
courant électrique	ampère	A	déci-	: 10
température	kelvin	K	centi-	: 100
intensité lumineuse	candela	cd	milli-	: 1 000
quantité de matière	mole	mol	micro-	: 1 000 000

Remarque bien que *kilo* signifie 1 000 : un kilomètre égale 1 000 mètres, un kilogramme égale 1 000 grammes. Il faut éviter de dire kilo comme abréviation de kilogramme.

Il existe d'autres unités couramment employées : elles dérivent de ces sept unités fondamentales. Certaines portent des noms de savants.

La matière

Tout autour de toi, tu observes des objets solides, des liquides, et même des gaz. Souvent, ces liquides sont des *mélanges* de plusieurs produits, qu'il est parfois difficile de séparer.

L'eau de mer contient du sel, celui dont tu te sers à table. En laissant l'eau s'évaporer au soleil, dans les marais salants, on recueille le sel. Tu peux faire de même en plaçant une assiette d'eau salée sur un radiateur chaud.

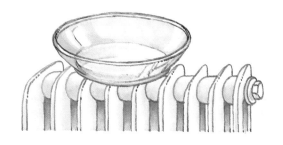

Avec un compte-gouttes, fais tomber un peu d'encre dans de l'eau, et observe les mouvements de ce liquide coloré au sein de l'eau. Le mélange est limpide.

Dans un autre verre d'eau, verse de l'huile, puis ajoute un glaçon : observe leur disposition.

Verse un morceau de sucre dans un verre d'eau, et remue pour mélanger. Le sucre se *dissout* (il ne *fond* pas). Comment peux-tu récupérer ce sucre ? Et si tu verses du sable à la place du sucre ?

Nous avons besoin d'air pour vivre, pour respirer. Le vent est un déplacement important de masses d'air, d'une région à une autre.

Faire passer un gaz d'un verre dans un autre s'appelle transvaser. Il est facile de le faire dans une cuvette.

Certains gaz sont colorés, ou ont une odeur plus ou moins agréable, comme les parfums par exemple. La vapeur d'eau est incolore et inodore.

L'atmosphère

La Terre est entourée d'une mince enveloppe de gaz, l'atmosphère, dont la composition varie avec l'altitude. La *troposphère,* jusqu'à 15 km, contient l'air que nous respirons : un mélange d'oxygène et d'azote. Les nuages s'élèvent rarement à plus de 10 km. Au-dessus, la *stratosphère,* de température uniforme ($-50°$ C) est beaucoup moins dense. Elle contient une couche d'*ozone* qui filtre certains rayons du Soleil, nocifs pour la vie sur la Terre. Encore plus haut, l'*ionosphère* permet les télécommunications.

L'Italien Evangelista Torricelli, en 1644, puis le Français Blaise Pascal, en 1648, ont montré qu'une colonne d'air de 1 cm^2 de section, allant du sol jusqu'en haut de l'atmosphère, vers 1 000 km, pèse un kilogramme ; c'est là l'origine de la *pression atmosphérique.* L'air est pesant : une chambre contient plus de 30 kg d'air.

Les *nuages* sont une *suspension* de très fines gouttelettes d'eau dues à la condensation de la vapeur d'eau dans l'air froid. Quand un nuage est au ras du sol, on l'appelle *brouillard.* Les traînées blanchâtres visibles au-dessus d'une casserole d'eau chaude sont également un brouillard, tout comme la *buée* sur les vitres en hiver dans une maison. La vapeur d'eau est invisible.

Quand les gouttelettes s'agglomèrent, elles grossissent, et tombent sur le sol ; c'est la pluie. S'il fait très froid, la pluie liquide se transforme en glace : il neige.

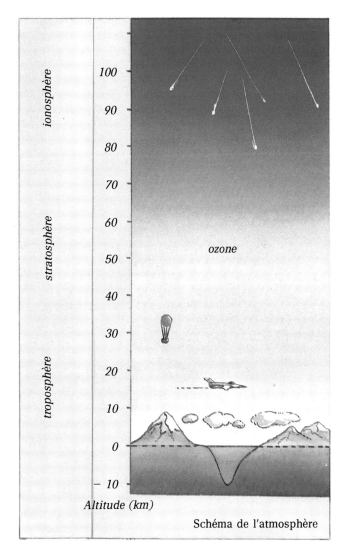

Schéma de l'atmosphère

Dans la nature, une même matière peut se trouver sous plusieurs aspects, ou états physiques.

La sublimation *est le passage direct de l'état solide à l'état gazeux. C'est le cas de la naphtaline : on sent l'odeur de la vapeur de ce produit solide. De même, la neige carbonique, utilisée dans les extincteurs, disparaît du sol sans former de liquide ; elle se sublime.*

cristal de neige

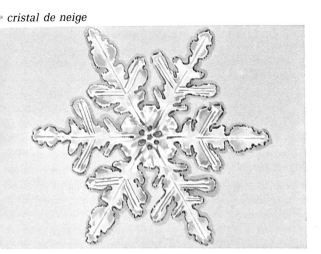

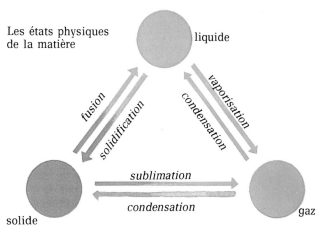

La balance

La balance est l'instrument des pesées : il sert à *comparer* le poids inconnu d'un objet, à un ou plusieurs poids connus. Si les deux bras de la balance ont même longueur, l'égalité des poids permet d'obtenir l'*équilibre* de la balance.

Cet instrument est connu depuis très longtemps : on en a retrouvé sur des fresques dans des tombes égyptiennes ; selon la croyance religieuse, elle permettait de peser l'âme du mort.

Peu à peu, l'instrument s'est perfectionné et diversifié : la balance romaine, celle inventée par le Français Gilles de Roberval en 1670, ou le pont-bascule pour les camions sont toujours utilisés.

La balançoire, dans les jardins publics, est du même type, mais différent cependant de la balançoire en pendule.

Construis une balance

Il te faut : deux aiguilles à tricoter, une pince à linge en bois, ▶ deux pointes, deux couvercles, de la ficelle, ou du fil de fer fin.

L'horizontalité du *fléau* est assurée en faisant glisser les aiguilles à tricoter dans la pince, quand les deux couvercles sont vides. Utilise un fil à plomb et une équerre pour vérifier l'horizontalité.

Pour faire tes pesées, utilise des pièces de monnaie comme étalons.

Détermine la plus petite masse à ajouter dans un des plateaux, capable de rompre l'équilibre, lors d'une pesée. Cette petite masse est la *sensibilité* de la balance.

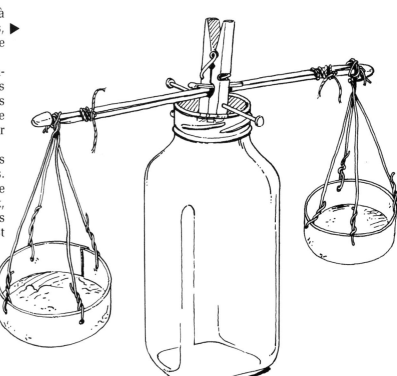

Archimède

Vers 220 avant notre ère, le Grec Archimède se servit d'une balance pour déterminer son célèbre « principe ».

La légende raconte que le roi de Syracuse, en Sicile, voulant se faire faire une couronne, confie un lingot d'or pur à un orfèvre. Mais pensant que l'artiste avait cherché à le voler en remplaçant un peu d'or par du cuivre, le roi demande conseil à Archimède.

Son expérience est illustrée par les trois schémas ci-contre.

Archimède compare d'abord le poids d'un lingot et celui de la couronne (1). Puis plongeant le lingot dans l'eau, il rétablit l'équilibre de la balance avec une *tare* (2). En remplaçant le lingot par la couronne (3), l'équilibre avec la même tare est rompu.

Archimède montre ainsi le rôle du *volume* de l'objet plongé dans l'eau : la couronne, de même poids que le lingot, a un volume supérieur à celui du lingot. On dit que la *masse volumique* de la couronne est inférieure à celle du lingot d'or ; donc la couronne n'est pas en or pur : l'orfèvre avait bien volé le roi.

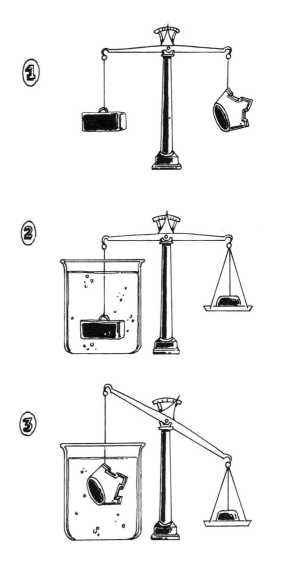

Tu peux refaire cette expérience avec deux blocs *identiques* de pâte à modeler. Dans l'un, remplace un peu de pâte par quelques billes d'acier ou de verre, mais de façon que les deux blocs aient toujours le *même poids*. Avec le bloc ainsi modifié, façonne un objet tel qu'on ne puisse voir les billes ; et refais l'expérience d'Archimède.

Flotte ou coule ?

Dans une autre expérience, pose un bloc ▶ compact de pâte à modeler sur l'eau : il coule. Donne à ce bloc la forme d'une barque, et repose-le : il flotte. Et pourtant, son poids est resté le même car tu n'as pas enlevé de pâte. Mais, du fait de sa forme, le volume qu'il occupe dans l'eau a augmenté.

Et c'est pour cette raison que les navires en acier peuvent traverser les océans.

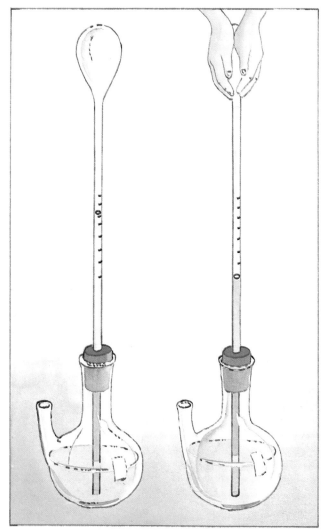

Le thermoscope (1600), ancêtre du thermomètre

La température

Un *thermomètre* utilise l'augmentation de volume *(dilatation)* d'un gaz ou d'un liquide quand on le chauffe.

Pour étudier les variations de la température du corps humain (37° C à l'état normal), le médecin italien Santorio invente, vers 1600, un *thermoscope* à air : le malade pose ses mains sur une boule, y chauffe l'air, et le niveau de l'eau dans le tube diminue. Des graduations permettent le repérage. Mais l'influence de la pression atmosphérique empêche l'appareil d'être *fidèle* aux seules variations de la température. Aussi cet appareil ne peut déterminer au mieux que l'évolution de la fièvre.

En 1654, l'Italien Ferdinand de Médicis remplace l'air par l'alcool. L'appareil est plus juste pour les mesures ; c'est le premier thermomètre.

En 1717, l'Allemand Daniel Fahrenheit utilise le mercure (métal liquide à la température ambiante), et deux températures de référence pour *étalonner* l'instrument : celle d'un mélange de glace et de sel, et celle du corps humain en bonne santé.

Le Suédois Anders Celsius, en 1741, utilisera les valeurs 0 et 100 pour représenter les températures de la glace fondante, et de l'eau bouillante : ce sont les *points fixes.* On utilise toujours cette échelle de température, dont l'unité est le *degré Celsius* (° C).

Après les travaux du Français Sadi Carnot en 1824, l'Anglais William Thomson (devenu lord Kelvin) invente en 1851 une échelle de températures utilisant des échanges de chaleur ; il montre que cette température ne dépend pas de la façon dont se font ces échanges. C'est la température *absolue* dont l'unité est le kelvin (K). Il ne peut y avoir de température inférieure à zéro K, ou — 273° C. Cette valeur est appelée *zéro absolu.*

La correspondance entre les deux échelles s'obtient en ajoutant le nombre 273 à la température en ° C pour avoir sa valeur en kelvin : en hiver par exemple, notre thermomètre indique — 10° C, soit 263 kelvin.

Correspondance entre les deux échelles de températures

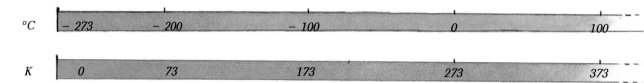

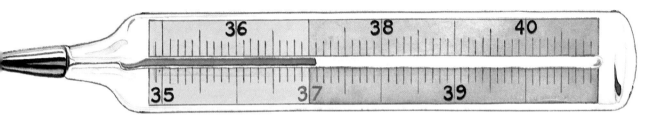

Le thermomètre médical indique la température du corps humain, qui doit rester à 37° C. La fièvre est une réaction de l'organisme à une maladie : une élévation de température permet ainsi d'en déceler l'existence. Le conduit de mercure est très fin, et le verre agit comme une loupe, afin de rendre la température plus lisible. Remarque la forme du petit coude qui empêche le mercure de redescendre dans le réservoir afin de permettre la lecture.

Bien repérer la température d'une matière

Il faut prendre certaines précautions :
— mettre le réservoir en contact avec la matière,
— attendre la stabilisation de la colonne de mercure ou d'alcool,
— lire l'indication perpendiculairement à la graduation, afin d'éviter une erreur de *parallaxe*.

Températures de changement d'état

Ce tableau t'indique les températures de fusion et de vaporisation de quelques matières (en ° C). L'état solide est en rouge, l'état liquide en vert, l'état gazeux en bleu.

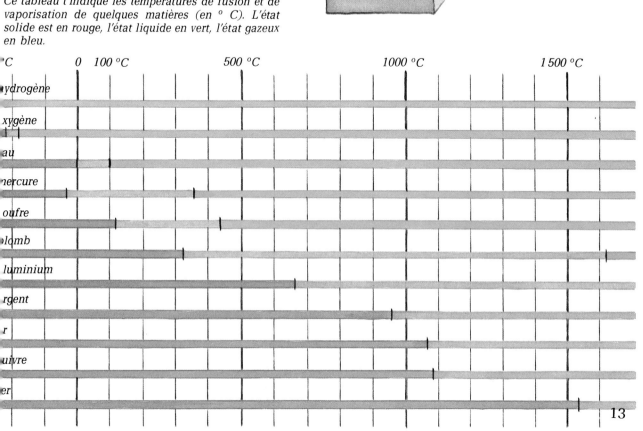

lecture correcte

mauvaise lecture

13

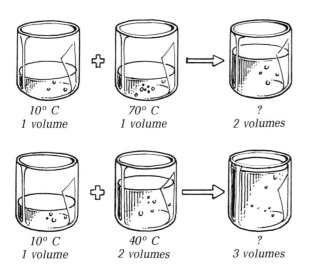

10° C
1 volume

+

70° C
1 volume

→

?
2 volumes

10° C
1 volume

+

40° C
2 volumes

→

?
3 volumes

La chaleur

Mélange un volume d'eau (un verre par exemple) à 10° C et un volume d'eau à 70° C. Lis la température du mélange.

Recommence avec un verre d'eau à 10° C et deux verres d'eau à 40° C.

Dans le premier cas, les volumes étant égaux, la température du mélange est la moyenne des valeurs 10 et 70 soit 40° C :

$$2 \times 40 = (1 \times 10) + (1 \times 70).$$

Dans le deuxième cas, les volumes sont différents ; le mélange est à 30° C car : $(3 \times 30) = (1 \times 10) + (2 \times 40)$.

Quantité de chaleur

a) A l'aide d'une bougie, chauffe un volume d'eau (un verre) à 10° C pendant 5 mn. Note la

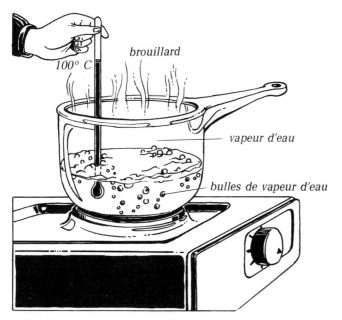

100° C brouillard

vapeur d'eau

bulles de vapeur d'eau

température atteinte, en prenant soin de bien remuer l'eau.

Recommence avec la même bougie, pendant 5 mn encore, mais avec *deux* volumes d'eau à 10° C.

Compare les deux élévations de température. Dans ce deuxième cas, détermine la durée de chauffage à la bougie, nécessaire pour atteindre la température finale du premier exemple.

b) Refais la même expérience en remplaçant l'eau par de l'huile (un verre, puis deux verres à 10° C).

Ainsi, la *quantité de chaleur* fournie par la bougie au liquide dépend de plusieurs *facteurs* : la quantité de liquide chauffé, l'élévation de la température, la nature du liquide.

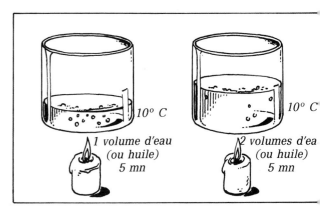

10° C   10° C

1 volume d'eau   2 volumes d'ea
(ou huile)   (ou huile)
5 mn   5 mn

Changement d'état

Porte à ébullition de l'eau dans une casserole, sur un réchaud électrique. Utilise un thermomètre pouvant dépasser 100° C, un thermomètre à confitures par exemple.

Vers 80° C, l'eau « chante » : l'air dissous dans l'eau s'échappe en petites bulles et produit un bruit caractéristique. Mais ce n'est pas l'ébullition, il faut chauffer encore.

A 100° C, des bulles de vapeur apparaissent dans le liquide : l'eau bout. Continue de chauffer, et observe l'évolution de la température.

La chaleur fournie à l'eau ne sert plus à élever sa température, mais à la faire passer de l'état liquide à l'état gazeux. Lors d'un changement d'état physique de la matière, la température reste *constante.* Quand la matière a entièrement changé d'état, sa température peut de nouveau augmenter.

Le réfrigérateur

Pour vaporiser un liquide, il est nécessaire de lui fournir de la chaleur. Quand tu sors du bain, tu as froid, car l'évaporation de l'eau sur ta peau absorbe de la chaleur à ton corps.

En comprimant l'air d'une pompe à vélo bouchée par ton pouce, sa température augmente, tu le sens avec ta main.

Ces deux propriétés sont utilisées dans un réfrigérateur, où un liquide, généralement le fréon, subit un *cycle* de vaporisations et compressions en circuit fermé. Le fréon passe dans le serpentin de l'évaporateur (le compartiment à glace) et s'y vaporise en prenant la chaleur nécessaire aux aliments, qui voient leur température diminuer. Le fréon gazeux est ensuite comprimé par le compresseur, situé à l'extérieur de l'armoire frigorifique, et alimenté par l'électricité (ou par un gaz combustible). Il circule enfin dans le serpentin du condenseur où il redevient liquide en dégageant la chaleur absorbée ; contrôle avec ta main. Le fréon repasse dans l'évaporateur et le cycle continue.

Encore des glaçons

Une augmentation de pression fait diminuer la température de fusion de la glace (habituellement 0° C), et de quelques rares autres produits.

Cela est mis en évidence par l'expérience du marteau et des deux glaçons identiques. Compare les vitesses de fusion de ces glaçons, et observe la « descente » du marteau.

Schéma d'un réfrigérateur

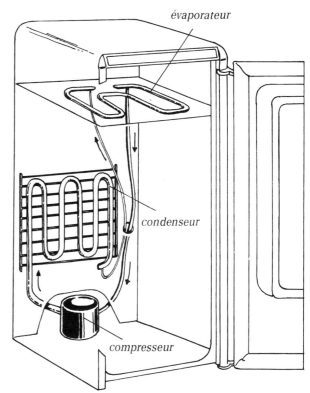

évaporateur

condenseur

compresseur

Cette propriété est utilisée par les patins à glace : la pression exercée sur la glace par le tranchant de la lame est si forte que la glace peut fondre localement ; le patin glisse sur une pellicule d'eau, avec moins de frottement. Après le passage du patineur, la pression étant supprimée, cette eau regèle.

Dans un autocuiseur (« cocotte minute ») au contraire, l'eau bout à 110° C environ, grâce à l'augmentation possible de la pression : les aliments cuisent ainsi plus rapidement.

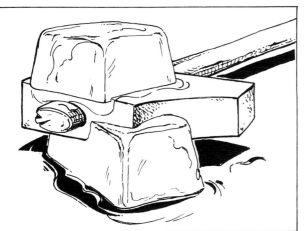

Les combustions

L'homme préhistorique a découvert puis domestiqué le *feu* il y a 500 000 ans : il s'en servait pour éloigner les animaux, se chauffer, cuire des aliments. Plus tard, le feu servira à l'éclairage : lampe à huile, bougie, gaz d'éclairage.

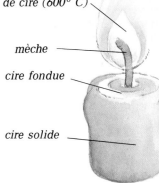

zone peu éclairante
(plus de 1 000° C)

zone éclairante (1 000° C)

vapeurs de cire (600° C)

mèche

cire fondue

cire solide

Observe la flamme d'une bougie : des différences de coloration indiquent des températures différentes.

Réalise ces expériences.

Allume à distance une bougie juste éteinte (A) : ce sont des gaz qui s'enflamment.

Passe la lame d'un couteau quelques secondes dans la flamme, juste au-dessus de la mèche, puis au-dessus de la flamme (B) : la cire se vaporise, et brûle en formant un dépôt noir de carbone sur la lame.

Place un verre froid au-dessus de la bougie (C) : la buée est la condensation de la vapeur d'eau.

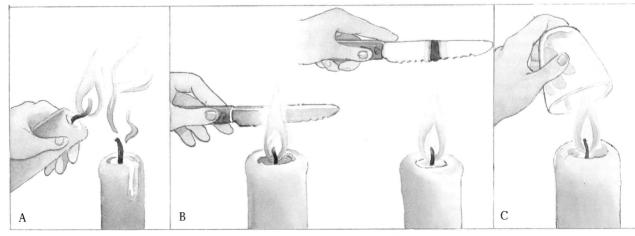

A

B

C

La cire solide fond par la chaleur de la flamme et se vaporise ; ces vapeurs de cire peuvent brûler à l'air : elles sont *combustibles.*

En transformant l'ensemble cire et air en de nouveaux produits : carbone (dépôt noir) et vapeur d'eau (buée), tu as réalisé une *combustion.* Note bien qu'il a pu se former d'autres produits que tu n'as pas identifiés, du dioxyde de carbone (ou gaz carbonique) notamment. A 1 000° C, le carbone est *incandescent,* c'est pourquoi la flamme éclaire.

Le changement d'état d'un produit est un phénomène *physique,* car il ne change pas la nature du produit. La transformation en produits nouveaux est une *réaction chimique.*

16

Le gaz combustible

En camping, tu utilises des petits flacons de métal contenant un liquide (secoue le flacon) : du butane. En s'échappant par le brûleur, il se vaporise et le mélange air-butane produit de la chaleur en brûlant.

Attention danger

Autour de toi, il existe des produits dont la combustion présente des dangers.

Certaines matières plastiques dégagent des gaz toxiques en brûlant : il est dangereux de les respirer.

D'autres matières ont des vapeurs très *inflammables,* comme l'alcool ou l'essence, pouvant provoquer un incendie.

Le gaz naturel (méthane), utilisé pour la cuisson ou le chauffage par exemple, n'a pas d'odeur. Mélangé à l'air, il peut provoquer une explosion à la moindre étincelle. Pour permettre de le détecter quand une fuite s'est produite, ou que le robinet est resté ouvert, on le mélange à un autre gaz qui, lui, a une odeur caractéristique et peut prévenir du danger.

Une matière dangereuse par sa combustion est le *tabac,* car les produits de combustion (goudrons, nicotine) pénètrent dans la bouche et les poumons, et nuisent à la santé du fumeur... et de son entourage.

xydation

Dépose de la paille de fer très propre au fond n bocal que tu renverses sur une cuvette u de façon que les niveaux d'eau soient ntiques. Attends une semaine.
Observe la couleur de la paille de et le niveau de l'eau à l'intérieur bocal. Essaie de faire brûler une gie dans le gaz restant.

Il s'est formé de la rouille, le tal s'est *oxydé* au contact de r humide. C'est également une ction chimique, mais ici sans mme.

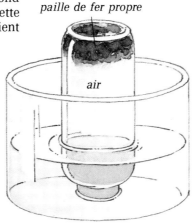

paille de fer propre

air

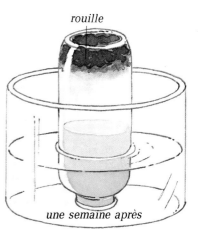

rouille

une semaine après

La chimie

Les Grecs pensaient autrefois que la matière était formée à partir de quatre *éléments* : le feu, la terre, l'eau, l'air. Par exemple, en faisant bouillir de l'eau de rivière, on utilisait l'eau et le feu, et on mettait en évidence l'« air » (la vapeur d'eau) et la « terre » (le dépôt de calcaire dissous).

Au Moyen Age, les alchimistes essaient, en chauffant du plomb ou du cuivre, de les transformer en or, afin de s'enrichir. Le plomb fondait, devenait plomb liquide, mais jamais de l'or. Cette vaine recherche leur fait cependant découvrir des *alliages* nouveaux, comme le laiton, formé de cuivre et de zinc. Le bronze, alliage de cuivre et d'étain, a été découvert 3 000 ans avant notre ère.

Au 18e siècle, on étudie les gaz et les combustions. Parmi les chercheurs, le Français Antoine Laurent de Lavoisier est le plus célèbre. En 1777, il chauffe pendant douze jours du mercure en présence d'air dans une cornue fermée sur une cuve à mercure non chauffée. Peu à peu, le mercure se couvre d'une pellicule rouge et le volume de l'air enfermé diminue. Analy-

Un alchimiste dans son cabinet

sant le gaz restant, il détermine sa nature, de l'azote, et montre que le produit rouge est un « mélange intime » de mercure et d'oxygène. Il prouve ainsi, par l'expérience, que l'air est un mélange de deux gaz : l'oxygène et l'azote.

« *Rien ne se perd, rien ne se crée, tout se transforme* », fait-on dire à Lavoisier. Grâce à sa méthode, la chimie devient une science.

Au 19e siècle, d'autres chimistes poursuivront des recherches importantes. Les découvertes de l'Anglais John Dalton (1803), de l'Italien Amedeo Avogadro (1814) et du Russe Dimitri Mendeleïev (1869), introduiront peu à peu les notions de *molécule*, d'*atome* et d'*élément chimique*.

Lavoisier dans son laboratoire

Molécules et atomes

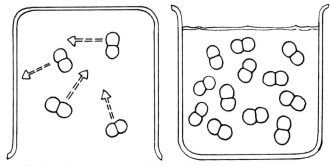

molécules dans un gaz et dans un liquide

La matière est formée de *molécules,* chacune étant composée de un ou plusieurs *atomes.* Une réaction chimique est un échange d'atomes entre des molécules différentes. Toutes ces molécules sont en mouvement incessant les unes par rapport aux autres, et la *température* est une mesure de cette agitation.

Dans un gaz, les molécules (on les a représentées ici formées de deux atomes) sont animées de vitesses pouvant dépasser 1 km/s. L'air est un mélange de molécules d'oxygène et de molécules d'azote. Les molécules des gaz se répandent dans tout l'espace environnant : l'éther par exemple se sent même loin du flacon débouché. Dans les liquides, les molécules sont plus resserrées, mais toujours en agitation.

Les molécules d'un solide sont très proches les unes des autres, et forment une structure géométrique compacte : un *cristal.* A la température de zéro K (zéro absolu), les molécules sont immobiles.

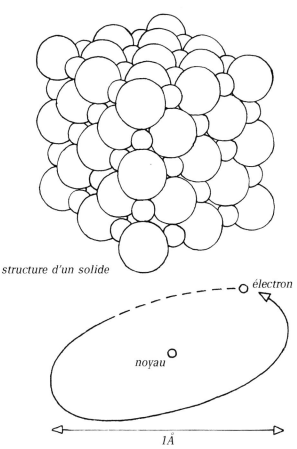

structure d'un solide

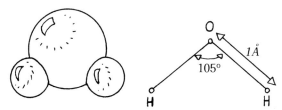

Les trois atomes de la molécule d'eau

Les dimensions des molécules sont de quelques angströms (symbole Å, du nom du physicien suédois Anders Ångström); un mètre contient dix milliards d'Ångströms.

Une molécule d'eau est constituée de trois atomes : un atome d'oxygène (O) et deux atomes d'hydrogène (H). L'écriture, ou formule, H_2O traduit cette composition. Le gaz hydrogène contient également des atomes H, mais il n'y a pas de gaz hydrogène dans l'eau; on dit que l'élément chimique hydrogène est commun à l'eau et au gaz hydrogène.

En 1911, l'Anglais Ernest Rutherford propose comme *modèle* (image) de l'atome une représentation analogue à celle du Soleil et d'une planète. Les ato-

mes H sont constitués de deux *particules élémentaires* : le *proton,* formant le *noyau* de l'atome, et un *électron.* Leurs dimensions sont telles que si on représente l'atome grand comme un terrain de football, le noyau est une bille, au centre, et l'électron, gros comme une perle, fait le tour du terrain. Entre eux, c'est le *vide,* il n'y a rien.

Pour tous les autres atomes, le noyau est constitué de plusieurs protons, liés à d'autres particules, les *neutrons.* Les électrons sont toujours en nombre égal à celui des protons.

Verticales et horizontales

La surface de l'eau, au repos dans une cuvette, définit un plan ; ce plan est horizontal. Un toit en pente est aussi un plan, mais il est incliné.

En lâchant une bille sans impulsion, elle tombe vers le sol et sa trajectoire est une droite verticale.

Ces deux directions sont perpendiculaires ; tu peux t'en assurer en fabriquant une équerre en pliant en quatre une feuille de papier.

Pour matérialiser une ligne horizontale, on utilise un *niveau* à bulle d'air, où de l'alcool coloré se trouve dans un petit tube incurvé. Un plan horizontal est défini par deux lignes horizontales qui se coupent. La direction verticale est obtenue par un fil auquel est suspendu un petit objet lourd, parfois en plomb : c'est le *fil à plomb.*

A Pise, en Italie, la célèbre Tour penchée construite aux 12e et 13e siècles doit son inclinaison à un défaut de fondations et à un affaissement du sol. Récemment, on a renforcé le sous-sol par du béton pour éviter son effondrement.

Dans une maison, deux verticales sont considérées comme parallèles. Cependant, la verticale est la direction suivie par un objet tombant en chute libre vers le centre de la Terre. Comme la Terre a la forme d'une sphère, des verticales en des points très éloignés, comme Paris et Montréal, ne sont plus parallèles mais se rejoignent... au centre de la Terre.

L'*antipode* est le point de la Terre diamétralement opposé à nous. Avec un atlas et un globe terrestre, localise l'antipode de ta ville. Par rapport à toi, un habitant de cet antipode, ou d'une région voisine, a la tête « en bas » ; mais il peut en dire autant pour toi.

La Tour penchée de Pise

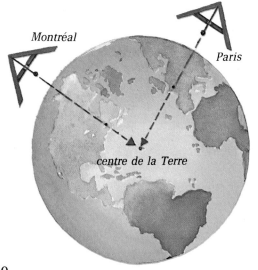

Montréal

Paris

centre de la Terre

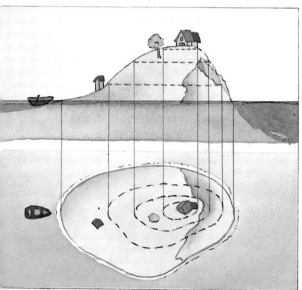

de niveau très serrées sur une carte, et une forte pente sur le sol.

Sur un canal, le niveau de l'eau est horizontal. Pour permettre aux péniches de progresser sur un terrain en légère pente, on construit des écluses à doubles portes. Entre ces deux portes, le *sas* est à niveau d'eau variable, entre les niveaux amont (haut) et aval (bas), grâce à des vannes.

Pour mesurer les différences d'altitude sur la Terre, les géomètres utilisent une *référence :* le niveau moyen de la mer (entre marée basse et marée haute). Avec un niveau à bulle et une lunette de visée, ils déterminent deux points d'une même ligne horizontale sur deux mires graduées ; la différence des hauteurs sur les mires est la *dénivellation.*

C'est par ce procédé que sont tracées les *courbes de niveau* sur une carte ; ce sont les lignes que l'on doit suivre, sur le sol, pour rester à une altitude constante. Elles permettent d'apprécier le relief. Cherche le lien entre des courbes

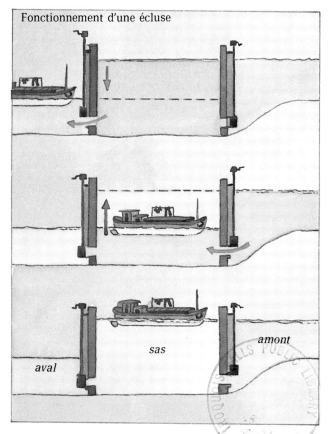

Fonctionnement d'une écluse

amont

sas

aval

Le temps

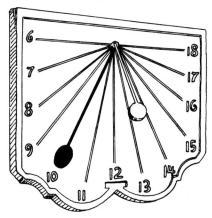

La nature nous impose des durées et des rythmes : le jour, le mois lunaire, les saisons, l'année. Les civilisations antiques de Mésopotamie et d'Égypte avaient remarqué ce lien entre les astres, l'agriculture, et leur vie. Afin de se repérer dans l'écoulement du temps, ils inventent le *calendrier* par l'observation du ciel.

Le Soleil leur indiquait ce que nous appelons l'heure, grâce au *cadran solaire.* Quand le Soleil est au plus haut dans le ciel, il culmine, c'est midi. Au début du printemps ou de l'automne, le jour a la même durée que la nuit *(équinoxe)* : le Soleil se lève à l'est à 6 heures et se couche à l'ouest à 18 heures. Il s'agit de l'heure solaire et non de celle de nos montres, car l'heure civile n'est pas la même sur toute la Terre au même instant.

Mais la nuit, le cadran solaire est inutilisable. Vers 1500 avant notre ère, les Égyptiens inventent la *clepsydre,* ou

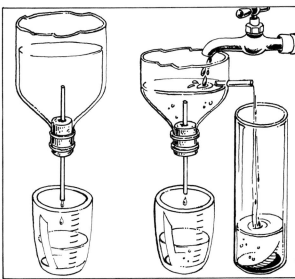

horloge à eau, car le temps est mesuré par l'écoulement de l'eau d'un récipient dont le fond est pourvu d'un petit orifice.

Avec une paille traversant un bouchon, fabrique et gradue une horloge à eau. Tu peux l'améliorer suivant le deuxième modèle où une ouverture latérale (un trop-plein) permet un écoulement régulier dans un verre gradué, grâce au niveau constant.

En remplaçant l'eau par du sable fin, on obtient un *sablier,* encore utilisé parfois pour la cuisson des œufs.

Au Moyen Age, on utilise des bougies à perles : chaque « heure », une perle tombe car la bougie fond.

Les horloges

Au 13e siècle apparaissent les premières horloges mécaniques, à roues dentées, entraînées par des poids. La précision est telle qu'elles ne possèdent qu'une seule aiguille. Les premières montres, vers 1500, sont actionnées par un ressort.

A la suite des observations de Galilée sur le *pendule* (1581), le Hollandais Christiaan Huygens ajoute un balancier et invente le système régulateur à *échappement* en 1657. Les horloges gagnent ainsi leur deuxième aiguille ; celle des secondes apparaît vers 1750 avec l'invention du *chronomètre.* Les *horloges astronomiques,* grâce à de très nombreuses roues dentées, permettent de reproduire les mouvements apparents du Soleil, de la Lune et des planètes.

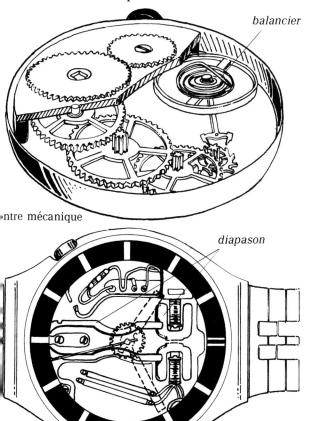

balancier

ntre mécanique

diapason

ntre électrique

Peu à peu, la précision et la justesse augmentent, et les dimensions diminuent. En 1954 est inventée la montre électrique où une petite pile et un *diapason* vibreur remplacent le ressort spiral et le balancier ; puis récemment, un cristal de *quartz* sert de régulateur, et l'électronique fait même « disparaître » les aiguilles.

Le mot temps *a plusieurs sens, et quand on évoque un intervalle de temps, il est préférable d'employer le mot* durée. *L'unité de temps est la seconde (s). Convertis une durée de un an en secondes ; quel est ton âge, en secondes ?*

Le métronome des musiciens te permettra d'observer aisément le mécanisme d'une horloge.

Ptolémée repère la position des planètes
à l'aide d'un théodolite

Le Système solaire

Les hommes ont toujours cherché à se représenter le monde dans lequel ils vivent. Dans le ciel, ils observent les mouvements *apparents* du Soleil, de la Lune et de cinq planètes que l'on peut voir à l'œil nu, sans instrument : Mercure, Vénus, Mars, Jupiter et Saturne.

Isaac Newton (1643-1727)

Les Grecs croyaient que la Terre était au centre de l'Univers, et que les astres tournaient autour d'elle. On attribue au Grec Pythagore, vers 500 avant notre ère, la découverte de la forme sphérique de la Terre, par les observations de son ombre sur la Lune, lors des éclipses.

◀ Pour expliquer les mouvements des astres, le Grec Claude Ptolémée, en l'an 150, invente un modèle dans lequel tous les astres tournent sur des cercles autour de la Terre, fixe dans l'espace. Les observations des mouvements apparents justifiaient assez bien ce système qui resta en vigueur pendant 1 400 ans.

En 1543, le Polonais Nicolas Copernic place le Soleil au centre du système, car pour lui la Terre tourne autour du Soleil, comme les autres planètes. Ce sera un changement très important.

L'Allemand Johannes Kepler étudie le mouvement de la planète Mars et, grâce à des observations précises, découvre, en 1609, qu'elle ne décrit pas un cercle autour du Soleil, mais une *ellipse;* de plus sa vitesse n'est pas constante.

Grâce à la *lunette astronomique* qu'il fabrique en 1609, Galilée observe pour la première fois le ciel autrement qu'à l'œil nu. Il découvre, notamment, des satellites tournant autour de la planète Jupiter, comme la Lune autour de la Terre.

Cependant, la *cause* du mouvement n'est toujours pas connue.

C'est l'Anglais Isaac Newton qui, en 1687, comprenant la similitude de la chute d'une pomme et du mouvement de la Lune, découvre cette cause physique : la force d'attraction entre les masses, ou *attraction de gravitation,* entre le Soleil et les planètes, la Terre et la Lune, la Terre et une pomme...

Newton démontre, par des calculs, les *lois* géométriques du mouvement découvertes par Kepler. L'étude des mouvements, la *mécanique,* devient alors un chapitre important de la physique.

Une sixième planète, Uranus, est découverte par l'Allemand William Herschel en 1781, à l'aide du *télescope,* inventé par Newton en 1672.

Pour tracer une ellipse, utilise le dispositif ci- ▶
contre avec deux pointes et une ficelle. Les
positions des pointes s'appellent les foyers de
l'ellipse ; pour les planètes, le Soleil occupe l'un
de ces foyers. Si les deux foyers sont confondus,
la figure obtenue est un cercle.

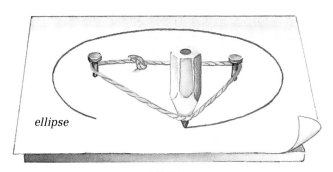
ellipse

Par des calculs complexes, le Français
Urbain Le Verrier prévoit l'existence d'une
septième planète et, en 1846, l'astronome
allemand Galle observe Neptune très près
de la position annoncée par Le Verrier.

On connaît à présent neuf planètes.
Les distances sont exprimées en *unités
astronomiques* (UA) et non en kilomètres : l'UA est la distance moyenne entre
la Terre et le Soleil, soit 150 millions de
kilomètres. La durée nécessaire à une
planète pour accomplir un tour s'appelle
une *révolution.*

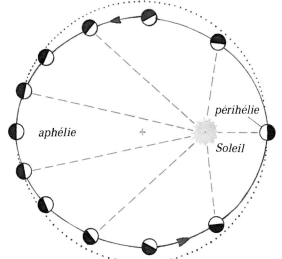
aphélie   *périhélie*   Soleil

▲
*Les positions d'une planète sont représentées
ici à des intervalles de temps égaux : la distance parcourue par la planète pendant ces
durées égales dépend de sa distance au Soleil,
comme l'a découvert Kepler. La planète se
déplace plus rapidement près du* périhélie *que
près de l'*aphélie.

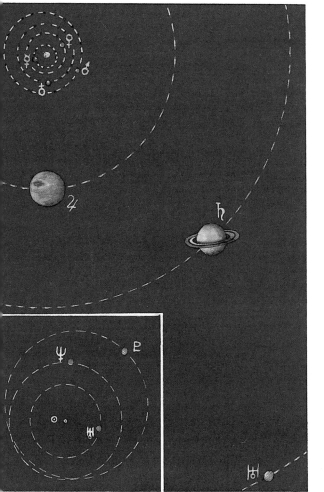

Les planètes du Système solaire

Symbole	Planète	Durée de la révolution		Distance moyenne au Soleil (UA)
☿	Mercure	88	jours	0,39
♀	Vénus	225	jours	0,72
♁	Terre	365,25	jours	1
♂	Mars	687	jours	1,52
♃	Jupiter	12	ans	5,2
♄	Saturne	29	ans	9,5
♅	Uranus	84	ans	19,2
♆	Neptune	165	ans	30
♇	Pluton	248	ans	40

Galilée (marqué X) étudie la chute ralentie des corps à l'ai d'un plan incliné

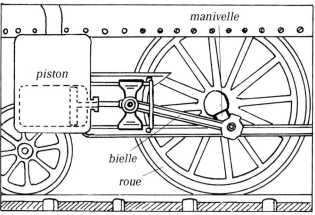

Le mot mécanique désigne également les moteurs et appareils, responsables des mouvements. Vers 1400, l'invention de la bielle et de la manivelle *permet de transformer un mouvement rectiligne (sur une droite) en un mouvement circulaire (suivant un cercle) et inversement. La transmission d'un mouvement peut se faire également par des courroies ou des engrenages. Ce sont des* mécanismes.

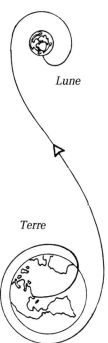

Lune

Terre

à cette échelle, la Lune devrait être à 60 cm de la Terre ▶

Les mouvements

L'étude des mouvements et de leurs causes s'appelle la *mécanique.*

Par l'expérimentation, vers 1600, Galilée établit les bases de cette science : il détermine le mouvement de chute des corps à l'aide d'un plan incliné ; il étudie les oscillations d'un pendule, ce qui permettra de perfectionner les horloges.

En 1687, Newton découvre la cause de la chute d'un corps : son *poids,* ou force de gravitation. Une *force* est la cause de la modification de la *vitesse ;* la *trajectoire* est la ligne suivie lors du mouvement.

Newton énonce qu'un objet soumis à aucune force se déplace en ligne droite à vitesse constante, ou bien reste au repos ; c'est le *principe d'inertie.* Une voiture qui ne peut prendre un virage à cause du verglas en est un exemple d'application.

Newton démontre également que la Lune tourne autour de la Terre à cause de son poids : elle est attirée vers la Terre, tout comme une pomme qui tombe de l'arbre ; c'est la *gravité.* De même, une fusée se dirigeant vers la Lune subit des forces d'attraction, de la part de la Terre, de la Lune et du Soleil : elle ne peut donc pas se déplacer en ligne droite.

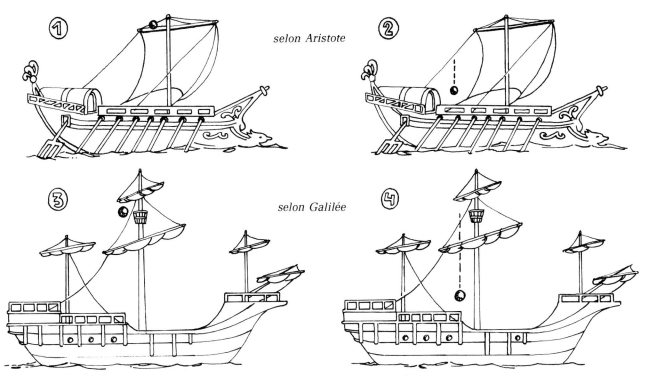

selon Aristote

selon Galilée

Mouvements relatifs

Cherchant à prouver l'immobilité de la Terre au centre de l'Univers, le Grec Aristote, 300 ans avant notre ère, affirme que si on lâche une pierre du haut du mât d'un navire en mouvement, celle-ci ne tombe pas au pied du mât, car le navire se déplace pendant la durée de la chute de la pierre (1 et 2). Galilée au contraire, en 1632, montre qu'elle tombe toujours au pied du mât, car elle est entraînée par le navire (3 et 4).

Tu peux refaire une expérience semblable dans un train (ou une voiture) en mouvement : vue de l'intérieur du train, la balle s'élève puis retombe dans tes mains. Mais vue depuis l'extérieur du train, la trajectoire de la balle est une courbe (une parabole). ▼

La cause du mouvement de la balle est la même dans les deux cas : son poids. Cependant, la trajectoire est différente, elle dépend du lieu de *référence.* C'est ce qu'on appelle la *relativité* des mouvements.

Dès 1510, Copernic avait utilisé un raisonnement semblable pour montrer que la Terre tourne autour du Soleil, bien que, depuis la Terre, on voit celui-ci se déplacer dans le ciel.

En appliquant cette idée à la lumière, l'Allemand Albert Einstein, en 1905, crée la mécanique *relativiste,* l'un des « sommets » de la science, toujours confirmée par l'expérience.

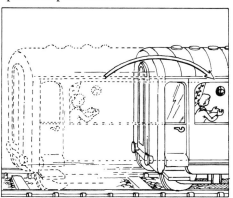

la trajectoire de la balle est différente selon l'endroit d'où on la regarde

Les sons

Lors d'un orage, tu as pu remarquer que le bruit du tonnerre se produit *après* que tu aies vu l'éclair. En réalité, ils ont lieu au même instant, mais le son se propage dans l'air beaucoup moins vite que la lumière (près de un million de fois moins vite). En 1636, le Français Marin Mersenne a mesuré la vitesse du son : 340 mètres par seconde (m/s).

Avec une montre, en mesurant le retard du tonnerre sur l'éclair, tu peux déterminer à quelle distance de toi l'éclair est tombé. Si par exemple ce décalage est de cinq secondes, c'est que l'orage se situe à une distance de 5 × 340 m, soit 1 700 m.

Un autre phénomène, l'écho, met en évidence la vitesse du son. Si tu lances un cri en montagne, ou devant un grand mur, celui-ci renvoie le son de ton cri, et tu le réentends après un court instant.

Un avion *supersonique* se déplace à une vitesse supérieure à celle du son. Avant 1948, les avions qui atteignaient cette vitesse explosaient en vol à cause des vibrations, comme s'ils heurtaient un mur, d'où l'expression « franchir le *mur du son* ».

Fabrique un téléphone avec deux pots de yaourt et une dizaine de mètres de ficelle : enlève le fond du pot et attache la ficelle au centre de la capsule.
C'est le principe du stéthoscope inventé par le Français René Laennec en 1819 et utilisé par les médecins lors de l'auscultation.

Le son se propage dans l'air, mais aussi dans les liquides et les solides, avec des vitesses encore plus grandes ; mais il ne se propage pas dans le vide.

Observe un guitariste : il déplace sa main gauche sur le manche de la guitare, de façon à modifier la longueur de la corde qu'il fait vibrer, en la pinçant de sa main droite.

Que se passe-t-il si tu déplaces le chevalet sous la corde (A) ? Pince les deux parties du fil. Une moitié du fil est enrobée de laine (B). Tout en pinçant le fil, tourne l'un des pitons de manière à le tendre davantage (C).

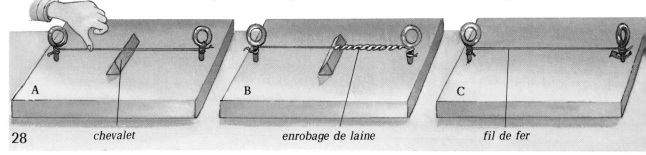

chevalet   enrobage de laine   fil de fer

La musique

Remplis des bouteilles identiques, en y versant des volumes différents d'eau. En soufflant légèrement sur le goulot, tu entends un son : c'est un instrument *à vent.* En ajustant les volumes d'eau dans les bouteilles, tu obtiens ce que les musiciens appellent une *gamme,* ou ensemble de *notes,* qui te permettront de jouer une mélodie.

Les notes de la gamme musicale habituelle ont des noms : do, ré, mi, fa, sol, la, si, ... Elles correspondent aux touches blanches d'un piano. On les représente par des gros points, sur une *portée* à cinq lignes, pour écrire la musique : une partition.

Construis des instruments

Pour construire une *flûte traversière* « ancienne », il faut te procurer un morceau de tube en plastique, utilisé pour les gaines électriques. A une extrémité, fais un bouchon en pâte à modeler et, à l'aide d'une vrille, perce un trou à proximité : c'est l'embouchure.

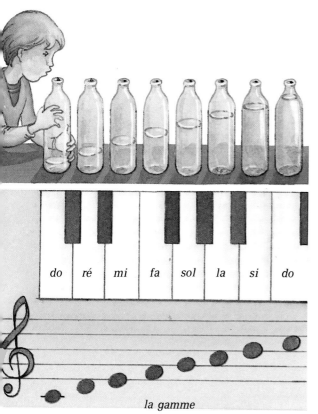

do ré mi fa sol la si do

la gamme

Pour produire un son, souffle juste au-dessus de ce trou, en pinçant les lèvres, comme pour prononcer la voyelle « i ».

Quand tu réussiras à obtenir un son, (ce n'est pas très facile au début), perce alors les autres trous aux positions indiquées. Place trois doigts de la main gauche sur les trous du haut, près de l'embouchure, et ceux de la main droite sur ceux du bas. En soulevant un doigt, tu modifies le son obtenu. Continue, c'est une mélodie.

La flûte traversière moderne est en métal, et les doigts actionnent de nombreuses clés qui permettent d'obturer les trous.

Fabrique une *cithare,* suivant le modèle, avec du fil de fer. En tournant plus ou moins les pitons, tu *accordes* les notes obtenues. Pour jouer de cet instrument, tu peux faire comme avec une guitare, ou bien frapper chacune des cordes avec un petit maillet.

Une guitare, un violon, ou un piano utilisent des cordes semblables ; le moyen de les faire vibrer différencie ces instruments.

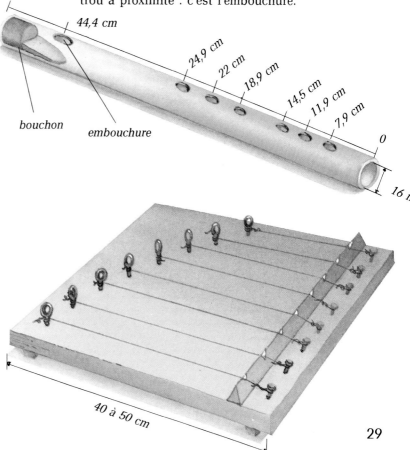

48 cm

44,4 cm

24,9 cm

22 cm

18,9 cm

14,5 cm

11,9 cm

7,9 cm

0

16 mm

bouchon

embouchure

40 à 50 cm

29

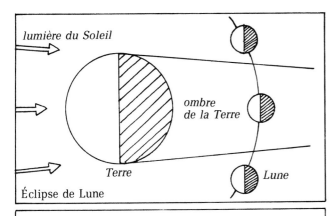

lumière du Soleil

ombre de la Terre

Terre

Lune

Éclipse de Lune

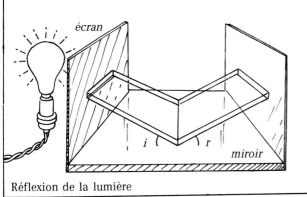

écran

i r

miroir

Réflexion de la lumière

La lumière

Tu as sans doute déjà remarqué ton *ombre* sur le sol ; ton corps *opaque* fait obstacle aux rayons du Soleil et crée une zone non éclairée sur le sol.

Une *éclipse* de Lune est un phénomène identique : en passant dans la zone d'ombre de la Terre, la Lune n'est plus éclairée par le Soleil et semble disparaître de notre vue.

Avec un miroir, tu peux déterminer une propriété des trajectoires lumineuses (les *rayons*), en faisant un trou dans une plaque de carton. En reculant peu à peu l'écran depuis ce trou, tu suis les rayons lumineux : ils viennent « heurter » le miroir puis se réfléchissent, c'est-à-dire qu'ils changent de direction. Mesure les angles notés *i* et *r* avec un rapporteur : ils sont égaux.

Cette propriété, la *réflexion* de la lumière, a été découverte 300 ans avant notre ère par le Grec Euclide.

En plaçant deux miroirs perpendiculaires, tu te vois « à l'endroit », comme les autres te voient. Et si tu places ces deux miroirs face à face, parallèlement à eux-mêmes ?

Avec trois miroirs et une lettre L façonnée en pâte à modeler, observe ses différents aspects ; combien en vois-tu ?

▼

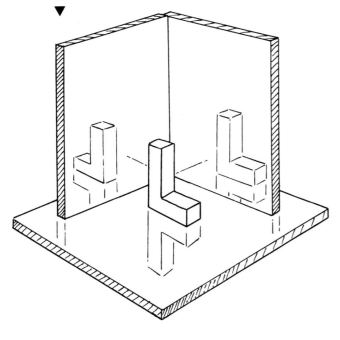

Encore avec trois miroirs identiques, fabrique un *kaléidoscope*. Bouche une extrémité du cylindre en carton avec un papier *translucide* (qui ne permet pas de voir les objets à travers, mais laisse passer la lumière) et dépose des petits morceaux de papier colorés. En tournant le cylindre, observe de belles compositions géométriques, formées par les trois miroirs.

▼

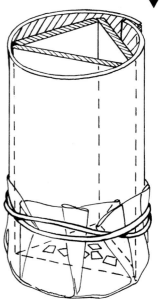

Verse quelques gouttes de lait dans un verre d'eau. Un écran percé d'un petit trou, placé devant une lampe, produira un faisceau de lumière. En disposant convenablement le trou et la lampe, le faisceau « se brise » à son passage de l'air dans l'eau.

Réfraction de la lumière

C'est le phénomène de *réfraction* de la lumière, étudié géométriquement d'abord par Kepler (1604), par le Hollandais Willebrord Snell (1621), puis par le Français René Descartes en 1637.

Cependant, ce n'est qu'en 1662 que le Français Pierre de Fermat parvient à l'expliquer : la lumière se déplace d'un point à un autre en suivant le trajet le plus « rapide », correspondant à la durée de parcours la plus faible.

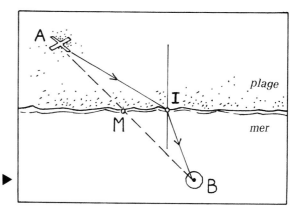

Si tu es en A, sur la plage, et que tu veuilles rejoindre la petite île en B, le trajet le plus rapide (mais non le plus court) est celui passant par le point I, et non pas la ligne droite AMB, car tu te déplaces plus vite, sur la plage en courant que dans l'eau en nageant. Ton trajet est réfracté.

En 1676, le Danois Olaüs Römer mesure la vitesse de la lumière. Celle-ci se déplace à 300 000 km/s dans l'air ou le vide, 225 000 km/s dans l'eau, et « seulement » 200 000 km/s dans le verre.

La loupe

Réalise une *image* nette de la bougie *(objet)* sur l'écran, en déplaçant la loupe et l'écran. Observe la forme de l'image de la flamme, sur l'écran.

Les distances relatives de l'objet et de l'image à la loupe dépendent de la forme de cette loupe. Quand l'image est nette, on dit qu'on a fait la *mise au point.* ▼

L'appareil photographique

Il utilise le principe de fonctionnement d'une loupe. L'*objectif,* composé de plusieurs loupes, ou *lentilles,* se déplace d'avant en arrière en le tournant, pour faire la mise au point sur la *pellicule* qui reçoit la lumière. Un procédé chimique permet d'obtenir une image sur papier, ou une diapositive observée par transparence avec un projecteur.

L'*obturateur* permet de laisser passer la lumière à l'instant voulu, et le *diaphragme* limite la quantité de lumière qui arrive sur la pellicule.

La première photographie est due au Français Nicéphore Niepce en 1827.

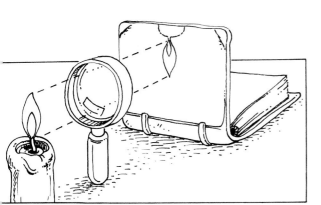

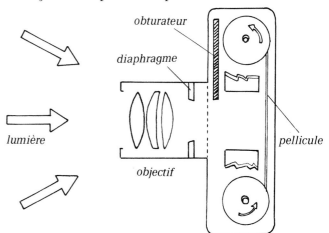

L'œil et la vue

Le *cristallin* de l'œil est une loupe naturelle. Comme les objets que l'on regarde peuvent être à des distances très différentes, il est nécessaire de faire la mise au point *(accommoder)* pour que l'image se forme exactement sur la *rétine.* Pour les objets proches, le cristallin se bombe, devient plus épais, grâce à de petits muscles. Pour les objets éloignés, au contraire, il s'amincit à sa taille normale. L'*iris* coloré, délimitant la *pupille*, s'ouvre ou se ferme plus ou moins suivant la luminosité ambiante. La rétine et le cerveau nous permettent de « voir ».

Recherche les points communs à l'œil et à l'appareil photographique.

Quand l'œil est « malade », il ne peut accommoder : l'image est floue. On doit alors porter des lunettes pour corriger la vue. Les premiers verres correcteurs datent du 14e siècle.

Si le cristallin ne se bombe pas assez, l'image se forme en arrière de la rétine ; c'est l'hypermétropie, que l'on corrige par une lentille *convergente.* Si le cristallin est trop bombé, au contraire, l'image est en avant de la rétine ; c'est la myopie, corrigée par une lentille *divergente.* Cependant, pour un myope, l'accommodation est correcte, sans verre, si l'objet est rapproché.

Regarde la forme des verres de lunette des gens autour de toi, et compare leur épaisseur au centre du verre, et sur le pourtour.

Pour voir des objets très éloignés, on associe plusieurs lentilles de verre ; la première lunette astronomique a été mise au point par Galilée en 1609.

Newton, utilisant les propriétés des miroirs concaves (en creux), invente le télescope en 1672. Le miroir est parabolique, comme les réflecteurs des phares d'automobile. Un second miroir, plan, permet d'observer l'image des astres sur le côté du tube du télescope, à travers l'oculaire contenant une petite loupe.

Schéma de l'œil

iris
rétine
cristallin
nerf optique
pupille

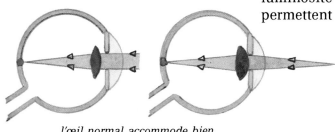

l'œil normal accommode bien

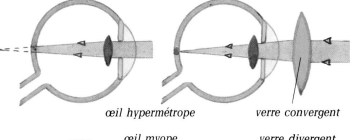

œil hypermétrope

verre convergent

œil myope

verre divergent

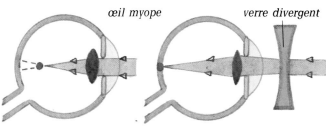

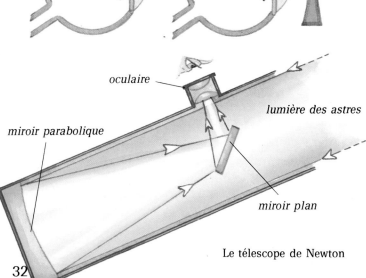

oculaire

lumière des astres

miroir parabolique

miroir plan

Le télescope de Newton

Les couleurs

En recevant la lumière du Soleil sur un *prisme* de verre, il se forme un beau dégradé de très nombreuses couleurs : le *spectre.*

En 1666, Newton a montré que ces couleurs étaient dues à la décomposition de la lumière blanche ; avant de traverser le prisme, toutes ces couleurs sont mélangées, superposées ; le prisme les sépare.

L'*arc-en-ciel* est un phénomène semblable, expliqué par Descartes en 1637. Après l'orage, les gouttelettes d'eau en suspension dans l'air, jouent le même rôle que le prisme, et décomposent la lumière du Soleil. On observe parfois un second arc, plus pâle, avec des couleurs inversées par rapport à celles du premier.

Observe la direction du Soleil par rapport à toi, quand tu vois un arc-en-ciel. Crée un arc coloré avec un jet d'eau en pluie.

Newton recompose la lumière blanche en faisant tourner rapidement un disque à secteurs colorés : l'œil n'observe qu'une seule coloration, c'est la *synthèse* de la lumière.

Un objet nous paraît bleu parce qu'il réfléchit surtout le bleu de la lumière blanche ; les autres couleurs étant peu réfléchies, nous ne voyons que le bleu.

Si on l'éclaire en lumière rouge ou jaune, il nous apparaît noir. Quand il n'est pas éclairé, on ne le voit pas : les objets n'ont pas de couleur, c'est uniquement la lumière ambiante qui leur en donne une.

Sur certaines routes, l'éclairage est réalisé par des lampadaires donnant une lumière jaune-orange ; regarde une boîte de crayons de couleurs la nuit, à l'aide de cette lumière.

L'infrarouge et l'ultraviolet

En plaçant un thermomètre à côté du spectre, près du rouge, Herschel en 1801 observe une élévation de la température : il découvre l'infrarouge (IR). Au-delà du violet, hors du spectre visible, existe aussi l'ultraviolet (UV).

Notre œil ne voit pas ces lumières, mais notre peau y est sensible : les rayons UV sont la cause du « coup de soleil », et le bronzage est, en fait, un moyen de défense naturelle de la peau contre ces rayons nocifs.

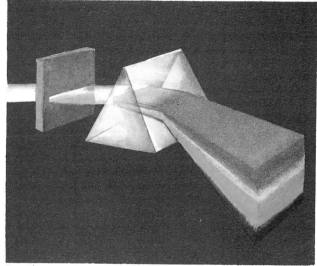

La décomposition de la lumière

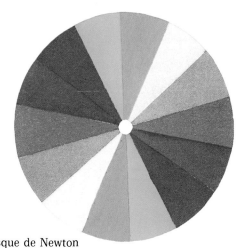

Le disque de Newton

Franklin détermine la nature de la foudre

L'électricité

L'un des phénomènes naturels par lequel l'électricité se manifeste à nous est la *foudre* : lors d'un orage, de violents éclairs se déchaînent, faisant entendre les roulements du tonnerre.

Le premier à comprendre la nature de la foudre fut l'Américain Benjamin Franklin. En 1752, faisant évoluer un cerf-volant un jour d'orage, il reçoit une étincelle en touchant une clé attachée au fil métallique. Cette expérience est à l'ori-gine de l'invention (par Franklin) du *paratonnerre,* destiné à protéger les maisons de la foudre. Pour lui, la foudre est une conséquence des *frottements* entre les nuages.

Déjà 600 ans avant notre ère le Grec Thalès avait remarqué qu'une résine fossile, l'ambre (qui se dit *êlektron* en grec), frottée avec de la laine, attire des poussières, ou fait dévier le mince filet d'eau d'un robinet quand on l'approche.

Tu peux faire cette observation avec un peigne ou une règle en matière plastique.

En 1672, l'Allemand Otto von Guericke fabrique une machine électrostatique sur ce principe en augmentant les effets du frottement.

La pile électrique

En 1800, l'Italien Alessandro Volta réalise un empilement (d'où le mot *pile*) de disques de cuivre et de zinc, séparés par un tissu imbibé d'eau salée. En reliant par un fil métallique le haut et le bas de la pile, une étincelle se produit, et d'autres encore, sans avoir besoin de refaire cet empilement. Volta a réussi à fabriquer un « réservoir » d'électricité. Grâce à l'invention de la pile, l'étude des effets du courant électrique commence.

Aujourd'hui, les piles électriques sont fabriquées différemment, mais on y trouve toujours les deux *bornes.*

Démonte une pile usagée pour voir les transformations qu'elle a subies.

Volta présente sa pile électrique à Napoléon Bonaparte (1800)

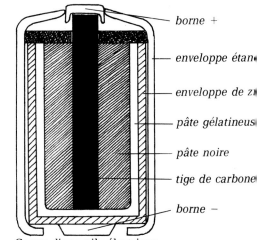

- borne +
- enveloppe étan●
- enveloppe de z●
- pâte gélatineus●
- pâte noire
- tige de carbone
- borne −

Coupe d'une pile électrique

L'éclairage électrique

En 1840, l'Anglais James Joule montre qu'un courant électrique passant dans un fil métallique l'échauffe : c'est l'effet *calorifique* du courant.

On tente alors d'utiliser cette propriété pour l'éclairage. Avec suffisamment de courant, le fil est *incandescent* et émet de la lumière ; mais il brûle ou fond rapidement par la chaleur dégagée. Ce n'est qu'en 1879 que l'Américain Thomas Edison réussit à faire briller pendant deux jours un fil à coudre enrobé de carbone, dans une ampoule de verre où il a fait le vide. L'éclairage électrique est né.

De nos jours, les ampoules contiennent un filament de tungstène (métal dont la température de fusion est très élevée 3 422 ° C) dans une atmosphère d'azote et de krypton, sans oxygène. Observe la forme hélicoïdale du filament, destinée à lui donner une grande longueur. Sa température atteint 3 000 ° C, mais la majeure partie de l'électricité utilisée sert à le chauffer : à peine 1/10 est transformé en lumière.

Les lampes *fluorescentes* n'utilisent pas l'effet thermique comme ces lampes à incandescence. Les lampes à vapeur de sodium de l'éclairage urbain (en jaune-orange), ou les lampes au néon, donnant une lumière rouge, sont des lampes à décharge ; leur fonctionnement est différent.

D'autres applications de l'effet thermique sont utilisées dans la vie courante : fer à repasser, four et cuisinière électriques, radiateur,... Un *fusible* est un dispositif de sécurité ; si le courant devient trop intense, par suite d'un *court-circuit* par exemple, le fil fond et se rompt : le circuit est ouvert, le courant ne passe plus, évitant un éventuel incendie.

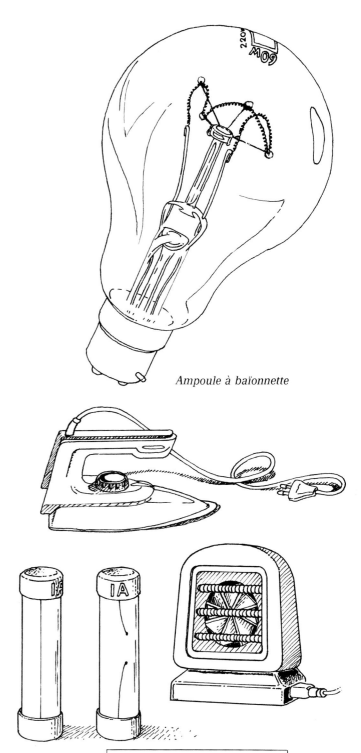

Ampoule à baïonnette

Danger

Le courant électrique dans la maison peut être très dangereux, en provoquant de très graves brûlures *du corps*, *souvent* mortelles, *surtout si* on a les mains ou les pieds mouillés.

Le magnétisme

Les anciens Grecs et Chinois savaient qu'une pierre naturelle, la *magnétite,* a la propriété d'attirer le fer, mais ce n'est que vers l'an 1000 que les Chinois inventent la *boussole* pour la navigation.

Les premières études sur le *magnétisme* (du nom de la pierre) sont réalisées par le Français Pierre de Maricourt en 1270 ; on lui doit les noms de *pôle* Nord et pôle Sud de la boussole, en fonction de l'orientation géographique de l'aiguille. Il met en évidence l'attraction et la répulsion magnétiques.

Vers 1600, l'Anglais William Gilbert, pour expliquer l'orientation de la boussole, admet que la Terre est un énorme *aimant :* l'un des pôles de la Terre attire le pôle nord de l'aiguille aimantée. Gilbert découvre également que l'on peut aimanter du fer en le frottant contre la magnétite, et le désaimanter en le chauffant suffisamment.

On peut aussi s'orienter sans boussole en utilisant une montre,... et le Soleil. Celui-ci semble tourner autour de la Terre en 24 heures, et quand il passe au sud, on dit qu'il est « midi au Soleil ». En France, l'heure civile avance de une heure en hiver sur l'heure solaire.

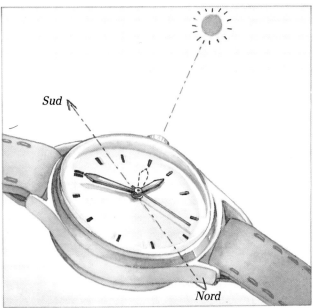

Sud

Nord

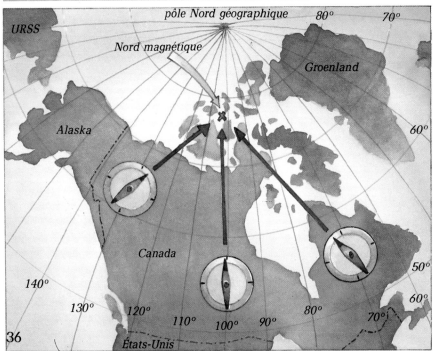

En fait, le pôle Nord magnétique de la Terre ne coïncide pas exactement avec le pôle Nord géographique.

L'angle entre les directions du Nord géographique et du Nord magnétique s'appelle la déclinaison magnétique. *En France, sa valeur est de 4° à 9° suivant l'endroit (6° à Paris), et pour bien s'orienter, il est nécessaire d'utiliser une carte de déclinaison, en plus de la boussole.*

La petite aiguille de la montre (celle des heures) fait deux tours de cadran en 24 heures, donc tourne deux fois plus vite que le Soleil.

Pour déterminer le sud, il suffit de trouver où se situe le Soleil à midi (heure solaire). Mets ta montre à l'heure solaire, et oriente la petite aiguille vers le Soleil. La moitié de l'angle formé par la petite aiguille et la direction du nombre 12 (bissectrice) indique alors le sud, car le Soleil était dans cette direction à midi.

L'électroaimant

Jusqu'en 1819, on voyait dans l'électricité et le magnétisme deux phénomènes naturels indépendants. Cette année-là, le Danois Christian Œrsted place un fil de cuivre (métal non magnétique) au-dessus d'une boussole, dans la direction nord-sud. En faisant passer un courant électrique dans le fil, il constate une déviation de l'aiguille, déviation qui change de sens avec celui du courant. Refais toi-même cette expérience fondamentale.

Ainsi existe un lien entre l'électricité et le magnétisme, que l'on réunit en un seul mot, l'*électromagnétisme :* un courant électrique produit des effets magnétiques (on dit un *champ* magnétique).

En 1820, le Français François Arago met à profit cette découverte, et invente l'*électroaimant.*

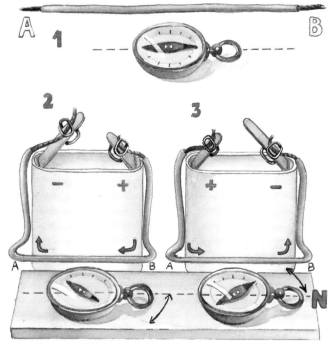

L'expérience d'Œrsted

Fabrique un électroaimant

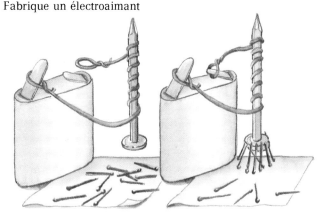

Avec un clou ou une tige en fer (et non en acier), refais l'expérience d'Arago. Remplace ensuite les petites pointes par des pièces de monnaie de un franc ou de cinquante centimes ; elles contiennent du nickel, métal possédant des propriétés magnétiques.

Les électroaimants sont utilisés dans les sonnettes électriques, le téléphone, les moteurs électriques, les haut-parleurs,... et même des grues, pour soulever de lourdes ferrailles : il n'y a pas de crochet, mais un plateau et un interrupteur pour fermer ou ouvrir le circuit électrique.

Moteurs et générateurs

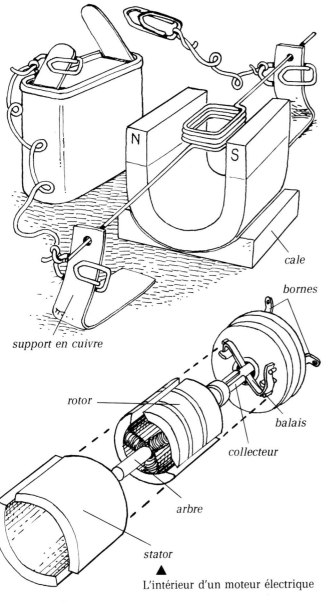

support en cuivre

cale

bornes

rotor

balais

collecteur

arbre

stator

▲ L'intérieur d'un moteur électrique

Avec un aimant en U et du fil de cuivre enroulé en « bobine plate », réalise le montage ci-contre ; en établissant le contact avec la pile, la bobine pivote. C'est le principe du *galvanomètre* inventé en 1821 par Ampère, permettant la mesure de l'*intensité* du courant électrique. C'est pourquoi l'unité, l'ampère (A), porte son nom ; tous les appareils de mesures électriques (ampèremètre, voltmètre, ...) utilisent ce principe.

En établissant le contact avec la pile, de façon intermittente, suivant un rythme convenable, tu réalises un *moteur* électrique.

De tels moteurs sont utilisés dans de nombreux jouets « à piles » ; démontes-en un pour examiner sa constitution. Une partie mobile, le *rotor* (trois électroaimants) tourne dans une partie fixe, le *stator* (deux aimants). Le *collecteur* est un cylindre en trois parties, sur lesquelles frottent deux *balais,* de façon à produire un contact intermittent.

En 1831, l'Anglais Michael Faraday découvre le phénomène « inverse » de celui observé par Œrsted : en déplaçant un aimant devant un circuit fermé, ne comportant pas de pile, il s'y crée un courant électrique, tant que l'aimant se déplace ; c'est le phénomène d'*induction électromagnétique.*

Cette importante découverte est à la base des *générateurs* électriques, dont Ampère a construit le premier modèle (1832), perfectionné par le Belge Gramme (1869) et le Yougoslave Tesla (1888).

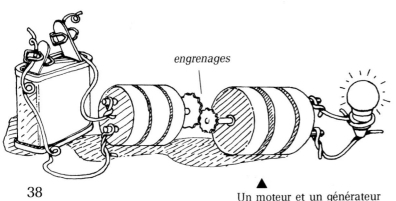

engrenages

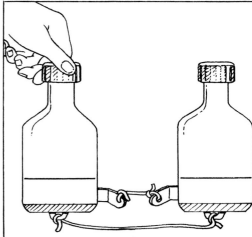

▲ Un moteur et un générateur

Entraîne un second moteur par un autre, alimenté par une pile. Branche une ampoule sur ce deuxième moteur ; le courant de la pile ne circule pas dans l'ampoule, qui pourtant s'éclaire.

Sur une bicyclette, le courant utilisé pour l'éclairage est fourni par une « dynamo ». On devrait dire *alternateur* car le courant produit change sans cesse de sens ; il n'est pas *continu,* mais *alternatif.*

Comme il est équivalent de déplacer un aimant devant un circuit, ou un circuit devant un aimant en raison de la relativité des mouvements (voir page 27), on rencontre des alternateurs à aimant fixe, et d'autres à aimant mobile.

Relie électriquement deux alternateurs de bicyclette, et fais tourner une seule des molettes. Le courant produit fait tourner la molette du second alternateur, lequel fonctionne en moteur.

Ainsi, un moteur et un générateur sont deux appareils « inverses ».

Production d'électricité

Pour produire de l'électricité en grande quantité, il est nécessaire de faire tourner l'alternateur longtemps et rapidement. On utilise à cet effet le mouvement naturel de l'eau, comme déjà dans les anciens moulins romains.

La vapeur d'eau sous pression peut également faire tourner une *turbine,* qui entraîne l'alternateur, lequel produit alors du courant électrique que des *câbles* vont acheminer.

Toute centrale électrique comporte donc un couple « turbine-alternateur ».

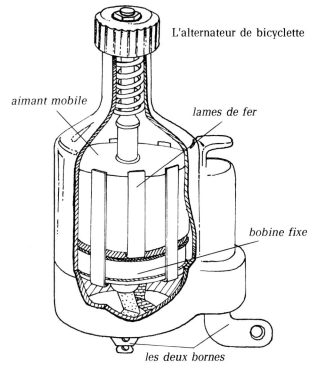

L'alternateur de bicyclette

aimant mobile

lames de fer

bobine fixe

les deux bornes

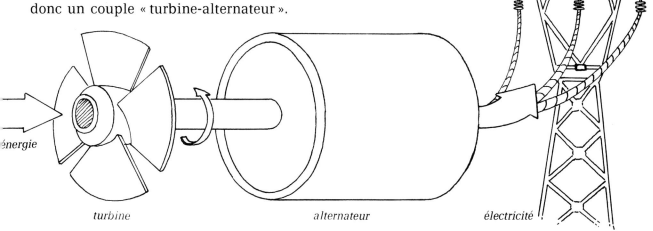

énergie

turbine   alternateur   électricité

Les centrales électriques

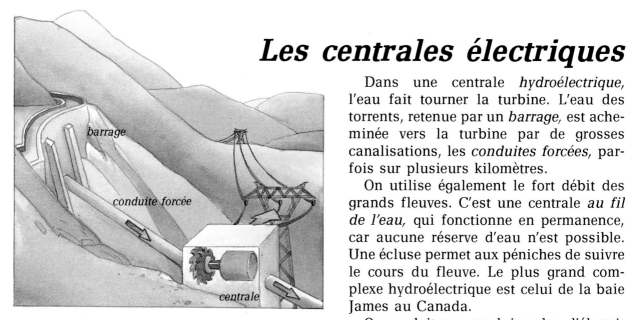

barrage

conduite forcée

centrale

Dans une centrale *hydroélectrique,* l'eau fait tourner la turbine. L'eau des torrents, retenue par un *barrage,* est acheminée vers la turbine par de grosses canalisations, les *conduites forcées,* parfois sur plusieurs kilomètres.

On utilise également le fort débit des grands fleuves. C'est une centrale *au fil de l'eau,* qui fonctionne en permanence, car aucune réserve d'eau n'est possible. Une écluse permet aux péniches de suivre le cours du fleuve. Le plus grand complexe hydroélectrique est celui de la baie James au Canada.

On ne doit pas produire plus d'électricité qu'on en consomme, car on ne peut la stocker.

L'électricité produite est caractérisée par une grandeur appelée *tension* qui se mesure en *volts* (V), du nom de Volta. La tension et l'intensité sont deux grandeurs différentes.

L'alternateur permet d'obtenir une tension de 15 000 V que l'on modifie, grâce au *transformateur,* en haute tension (400 000 V) pour le transport. Dans les habitations, la tension a une faible valeur (110 V ou 220 V) pour des raisons de sécurité.

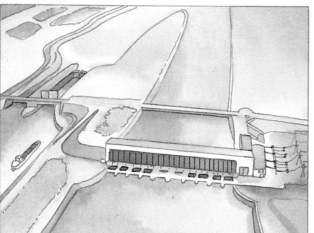

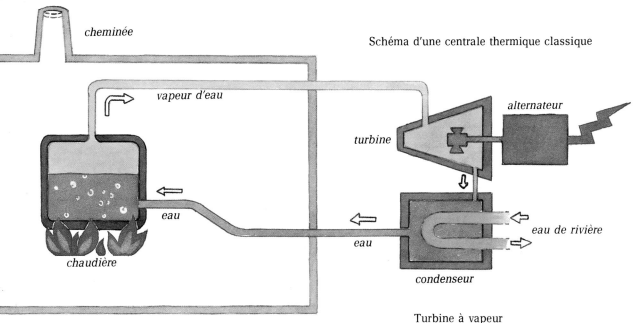

cheminée

Schéma d'une centrale thermique classique

vapeur d'eau

alternateur

turbine

eau

eau de rivière

eau

chaudière

condenseur

Dans une centrale thermique, la turbine est action-née par de la *vapeur d'eau* sous pression. Cette vapeur est ensuite refroidie par l'eau de rivière dans le *conden-seur,* avant de repartir, liquide, se transformer à nou-veau en vapeur. C'est un circuit fermé.

Quand la chaleur est fournie par la *combustion* du charbon, du gaz, ou du pétrole, c'est une centrale thermique *classique.* Quand cette chaleur est fournie par les réactions nucléaires de l'uranium, c'est une centrale thermique *nucléaire.*

Dans ce cas, un liquide ou un gaz (fluide *calopor-teur*), transporte la chaleur dans un second circuit fermé, du cœur du réacteur au circuit de turbine.

La première « pile atomique » a été réalisée en 1942 aux États-Unis d'Amérique par l'Italien Enrico Fermi.

Turbine à vapeur

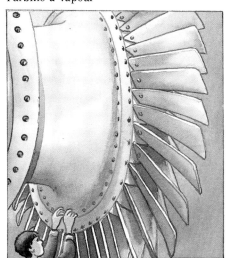

Schéma d'une centrale thermique nucléaire

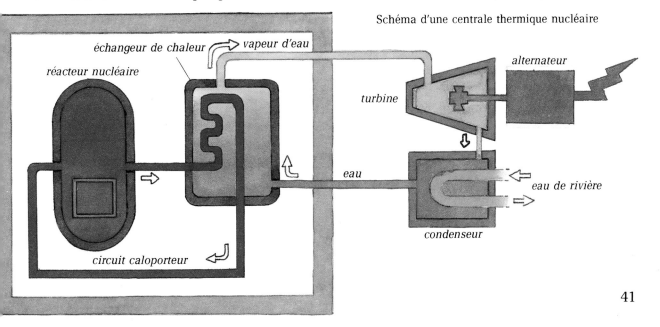

échangeur de chaleur

vapeur d'eau

réacteur nucléaire

alternateur

turbine

eau

eau de rivière

circuit caloporteur

condenseur

41

Électrolyse de l'eau

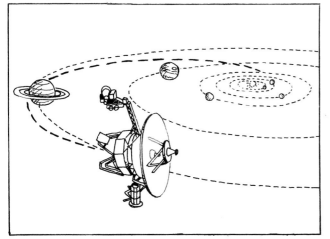

La voiture à vapeur de Joseph Cugnot (1770)

La sonde Voyager 2

L'énergie

Nous avons évoqué la chaleur, les réactions chimiques, les mouvements, la lumière, l'électricité, ... Toutes ces notions ont un lien commun : l'*énergie.*

Au premier sens du mot, l'énergie est la possibilité de produire un travail mécanique : le moteur qui fait monter un ascenseur possède de l'énergie. Mais ce mot est beaucoup plus général, et on peut dire que la physique est l'étude des *transformations* d'énergie.

En 1770, le Français Joseph Cugnot fabrique une voiture à vapeur ; l'énergie calorifique de la vapeur dans la chaudière devient de l'énergie mécanique lors du mouvement de la voiture.

La combustion de l'essence dans un moteur d'automobile permet de transformer de l'énergie chimique (mélange d'essence et d'air) en énergie mécanique (mouvement) et en énergie calorifique (chaleur du moteur).

Lors de l'*électrolyse* de l'eau, étudiée en 1833 par Faraday, tu vois apparaître des bulles de gaz sur les fils dénudés plongeant dans l'eau vinaigrée ; l'énergie chimique stockée dans la pile se transforme en énergie électrique dans le circuit fermé par l'eau ; cette énergie se transforme en énergie chimique en faisant apparaître ces gaz, oxygène et hydrogène (c'est encore une réaction chimique).

Les sondes spatiales transportent un petit réacteur nucléaire qui leur fournit l'électricité nécessaire à la transmission d'informations radio vers la Terre (énergie rayonnante).

La galaxie d'Andromèd

Les étoiles des galaxies transforment leur énergie nucléaire en énergie calorifique, mécanique, électrique et rayonnante. Et quoi de plus « naturel » qu'une étoile, comme le Soleil ?

L'énergie n'est pas seulement une notion liée au pétrole, c'est une grandeur physique, dont l'unité de mesure est le *joule* (J) du nom du physicien anglais Joule. Elle se présente sous différents « aspects » ou *formes :* mécanique, électrique, chimique, nucléaire, rayonnante, calorifique.

Après les travaux de l'Anglais James Maxwell (1865), de l'Allemand Heinrich Hertz (1887), et du Français Edouard Branly (1888), l'Italien Guglielmo Marconi met au point, en 1900, la TSF (télégraphie sans fil) qui deviendra communément la « radio », transformant l'énergie électrique en énergie rayonnante (*ondes* radioélectriques).

Tout autour de toi, de plus en plus, des appareils fonctionnent grâce à l'électricité ; en fait, ils transforment l'énergie électrique en une autre forme d'énergie. Et l'électronique, depuis l'invention du *transistor* par l'Américain John Bardeen en 1948, permet d'en faciliter l'emploi.

Grâce aux progrès de la science, la technique a fabriqué des appareils et des matériaux nouveaux nous permettant de mieux utiliser l'énergie. La science, la physique, la technique contribuent ainsi mutuellement à améliorer notre vie, même si certaines applications peuvent nous sembler négatives.

L'énergie
et la nature

Nos besoins en énergie sont sans cesse plus grands ; les sources d'énergie comme l'eau, le gaz, le pétrole, le charbon, l'uranium, ne sont pas inépuisables, et on doit songer à utiliser encore d'autres moyens de transformer l'énergie, présente partout dans la nature.

Le moulin à vent a été employé en Chine vers le 6e siècle ; dans nos prairies, les éoliennes permettent de pomper l'eau souterraine pour les besoins de l'élevage ou de l'irrigation.

Le Soleil nous chauffe en permanence, même l'hiver. Sans son énergie rayonnante, la vie n'existerait pas sur la Terre. On l'utilise de plus en plus pour chauffer (ou refroidir) les habitations.

La mer est un réservoir d'énergie, qu'il est bien difficile actuellement de maîtriser. Les centrales électriques utilisant l'énergie des marées, comme l'usine marémotrice de la Rance, en Bretagne, sont coûteuses et difficiles à construire.

La Terre renferme dans son sous-sol de l'énergie calorifique, qui se manifeste parfois violemment lors des éruptions volcaniques ; c'est la géothermie.

Les nuages sont également des réserves d'énergie électrique, on l'a vu à propos des éclairs.

Nous avons besoin de beaucoup d'énergie pour vivre, nous chauffer, nous éclairer, voyager, ... améliorer notre « confort de vie ».

Tout autour de nous, l'énergie est dans la nature. Il nous faut la capter, et la transformer afin de mieux l'utiliser. Malgré toutes les difficultés techniques, la physique, science de la nature, y contribue pleinement.

Index chronologique

Les nombres indiqués renvoient aux pages concernées

Les traits horizontaux sous chaque nom correspondent à la durée de vie

700	600	500	400	300	200	100	0	100	200

Thalès 34   Aristote 27   ARCHIMÈDE 4, 11   Ptolémée 24

PYTHAGORE 24   Euclide 30

1 500	1 550	1 600	1 650	1 700	1 750	1 800	1 850	1 900	1 950

COPERNIC 24, 27

Gilbert 36

GALILÉE 4, 7, 23, 26, 27, 32

KEPLER 24, 31

Mersenne 28

Snell 31

DESCARTES 4, 31, 33

Fermat 31

Roberval 10

Guericke 34

Torricelli 9

Pascal 9

HUYGENS 23

NEWTON 4, 24, 25, 26, 32, 33

Roemer 31

Fahrenheit 12

Celsius 12

Franklin 34

Cugnot 42

Herschel 25, 33

LAVOISIER 18

VOLTA 5, 34, 40

Dalton 18

AMPÈRE 5,38

AMPÈRE 5, 38

Oersted 37, 38

Avogadro 18

Arago 37

FARADAY 38, 42

CARNOT 12

Le Verrier 25

Angström 19

JOULE 5, 35, 43

Thomson 12

Gramme 38

MAXWELL 43

Mendeleïev 18

Branly 43

Edison 35

HERTZ 43

Tesla 38

Rutherford 19

Marconi 43

EINSTEIN 5, 27

Fermi 41

BARDEEN 43

46